MAY 2007

DATE DUE

M de Mujer

Dirección de la colección: Santi Bolíbar
Traducción: Fina Marfà
Coordinación de la producción: Elisa Sarsanedas

Diseño de cubierta e interiores: Romà Salvador

1ª edición: noviembre 2005
© Autoría: Tomàs Abella
© Intermón Oxfam
Roger de Llúria, 15. 08010 Barcelona
Tel. (93) 482 07 00. Fax (93) 482 07 07
e-mail: info@IntermonOxfam.org

ISBN: 84-8452-367-5
Depósito legal: B-41744-2005

Impresión:
Impreso en España

BLUE ISLAND PUBLIC LIBRARY
BLUE ISLAND, ILLINOIS

M de Mujer

Tomàs Abella

Intermón Oxfam

Ir a buscar agua, cuidar a los niños, trabajar en el campo, hacer la comida, vender la cosecha en el mercado, lavar y planchar la ropa, dar de comer a los animales, mantener la casa limpia y recogida, atender al marido, cuidar a los abuelos... Éstas son algunas de las tareas cotidianas que las mujeres realizan en gran parte del mundo, por ejemplo en Mauritania. Las mujeres que veremos en este libro viven en la región de Brakna, cerca del río Senegal, que delimita la frontera entre los dos países, trabajan de sol a sol, y también a la luz del gasoil.

La periodista nigeriana Donu Kogbara dice que en África, cada vez más, las mujeres se niegan a aceptar la feminidad que se espera de ellas, una feminidad sometida, atemorizada, dependiente, que no se enfrenta nunca. ¡La evolución se ha puesto en marcha!, dice Donu Kogbara.

En los pueblos de Wothie, Thide, Ari Ara y Djoudé, donde se han tomado estas fotografías, las mujeres quieren participar en el progreso de su comunidad, y por eso se han organizado en cooperativas agrarias. En largas reuniones hablan sobre cuáles son los mejores proveedores de semillas, cómo pueden reducir los costes de producción, a quién pedir un crédito para comprar una camioneta que les permita ir a vender al mercado de la capital, Nouakchott, los excedentes de la cosecha a un mejor precio. Para llevar a cabo esta tarea también quieren estar informadas y aprender a leer y a escribir, un "privilegio" vedado a los más pobres y a las mujeres. Por eso, para alfabetizarse, aprovechan al máximo el poco tiempo disponible. ¡La evolución se ha puesto en marcha!

Tomàs Abella

«Tienes que ir a la escuela, Aissata», dice la abuela Mariata a su nieta. La escuela de Aissata está a ocho kilómetros del pueblo. La niña va a pie todos los días, pero ayer el profesor estaba enfermo y no se presentó, y ahora la niña no sabe qué hacer... La abuela insiste y, además, un vecino del pueblo que tiene coche puede acercarla.

La abuela Mariata se levanta a las seis de la mañana, cuando el sol todavía duerme en Whotie, con los primeros balidos de las cabras. Una de las primeras tareas que lleva a cabo es ordeñarlas. Mientras tanto, alguna de sus nietas va a buscar agua al pozo del pueblo.

Whotie está en la sabana africana. Llueve muy poco, el agua escasea y cuesta mucho encontrarla. El agua, en el pozo del pueblo, se encuentra a más de treinta metros de profundidad. Por eso la abuela no desperdicia ni una gota. ¡Con lo que pesa el barreño!

Mariata Ajiby Thion es viuda, tiene sesenta años y siete nietos a su cargo. En el pueblo de Whotie es costumbre que los abuelos se encarguen de educar a algunos de sus nietos. La abuela Mariata les cuenta la historia del pueblo, de sus antepasados. También les enseñará a cuidar de los animales y a preparar una pomada con hojas de judías para curar las quemaduras.

El arroz que se compra en Whotie tiene cáscara. Como en el pueblo no hay molino, la abuela Mariata amontona el arroz y, golpeándolo con un gran bastón, hace saltar la cáscara para poder cocinarlo al mediodía.

Hace mucho tiempo, tras años de sequía y una plaga de langostas que se comió todo lo que estaba plantado, la abuela Mariata, junto con otras mujeres de Whotie, pidieron algunas tierras al jefe del poblado para plantar cebollas, lechugas, berenjenas y otras hortalizas. El jefe, después de consultarlo con los sabios del pueblo, les dijo: «Os daremos unas tierras que abandonaron los hombres para que hagáis un huerto».

Las mujeres del pueblo se dieron cuenta de que si compraban a la vez las azadas, las semillas y el abono necesarios para plantar las verduras, los comerciantes les hacían un precio más barato. Todas las mujeres que querían poner en marcha el huerto se reunieron y tomaron una decisión: «Formaremos una cooperativa».

En las tierras de la comarca siempre se habían plantado cereales como centeno o maíz, pero ninguna mujer sabía cómo se podían cultivar las coles o los tomates. Por eso, les pidieron ayuda a los chicos del pueblo que habían estudiado agronomía en Nouakchott.

¡Lo primero es arrancar las malas hierbas!

Las labores del campo son muy pesadas, porque la tierra es muy dura y no tienen tractores para ararla. Extraen el agua para regar de un pozo y después la cargan sobre la cabeza en grandes tinas para llevarla hasta su parcela.

Después de mucho trabajar, los huertos de las mujeres empezaron a dar buenas cosechas. Entonces, los hombres quisieron recuperar las tierras, pero el jefe del pueblo les dijo: «Ya tuvisteis vuestra oportunidad. Las mujeres están trabajando muy bien. Las tierras seguirán en manos de las mujeres».

Una parte de la cosecha se utilizó para alimentar a las familias. Con los productos del huerto, el arroz da más de sí y la comida es más nutritiva. ¡Ya sabes lo importante que es comer fruta y verdura!

Las verduras que no se usan para cocinar se venden en el mercado. Thillo Gaide vende calabazas, coles y pimientos en el mercado de Thidè.

Hoy Kalidou ha acompañado a su madre a vender las verduras al mercado, y con el dinero que han ganado han comprado carne de cordero para comer. Prepararán un plato que se llama "Thiebou Yap" con arroz, verduras y carne.

Este año la venta de verduras ha ido bastante bien. La abuela Mariata ha ahorrado y ha comprado una estera nueva para sentarse a tomar el fresco y dos cabras. También ha dado 2.500 ouguiyas (así se llama nuestra moneda) al fondo común de la cooperativa. Este dinero servirá para seguir plantando en el huerto.

En la cooperativa de mujeres de Whotie también hacemos jabón para venderlo. Es muy sencillo: fundimos unas velas, añadimos el aceite de una semilla llamada karité, mezclamos los ingredientes con un poco de harina y jabón en polvo y ponemos la pasta en unos moldes. Hay que esperar veinticuatro horas para sacar las pastillas de jabón del molde.

Con las ganancias de la venta del jabón y de las verduras se ha podido construir esta escuela para los más pequeños. De este modo, mientras las madres trabajan, los niños pueden ir a la escuela maternal.

En la cooperativa han organizado cursos para enseñar a leer y a escribir a mujeres que no pudieron ir a la escuela de pequeñas. Así podrán hacer las cuentas de todo lo que venden en el mercado y sabrán si pueden poner en marcha nuevos proyectos como, por ejemplo, comprar un tractor o una furgoneta para ir a vender las mercancías.

Kodia Ba es miembro de la cooperativa de Djoudé. La veis planchando porque su marido debe ir a una reunión a Bogué. Kodia quiere que su marido también la ayude a planchar, pero él no quiere porque dice que es muy difícil. ¡Tendrán que organizar unos cursillos para enseñar a los hombres a hacer las tareas de la casa!

Después de trabajar tanto, ¿qué os parece si tomamos un té? En Mauritania lo preparan con menta, que le aporta frescor y un sabor perfumado extraordinario. ¿Os imagináis de dónde sacan la menta? Claro que sí, del huerto de la cooperativa.

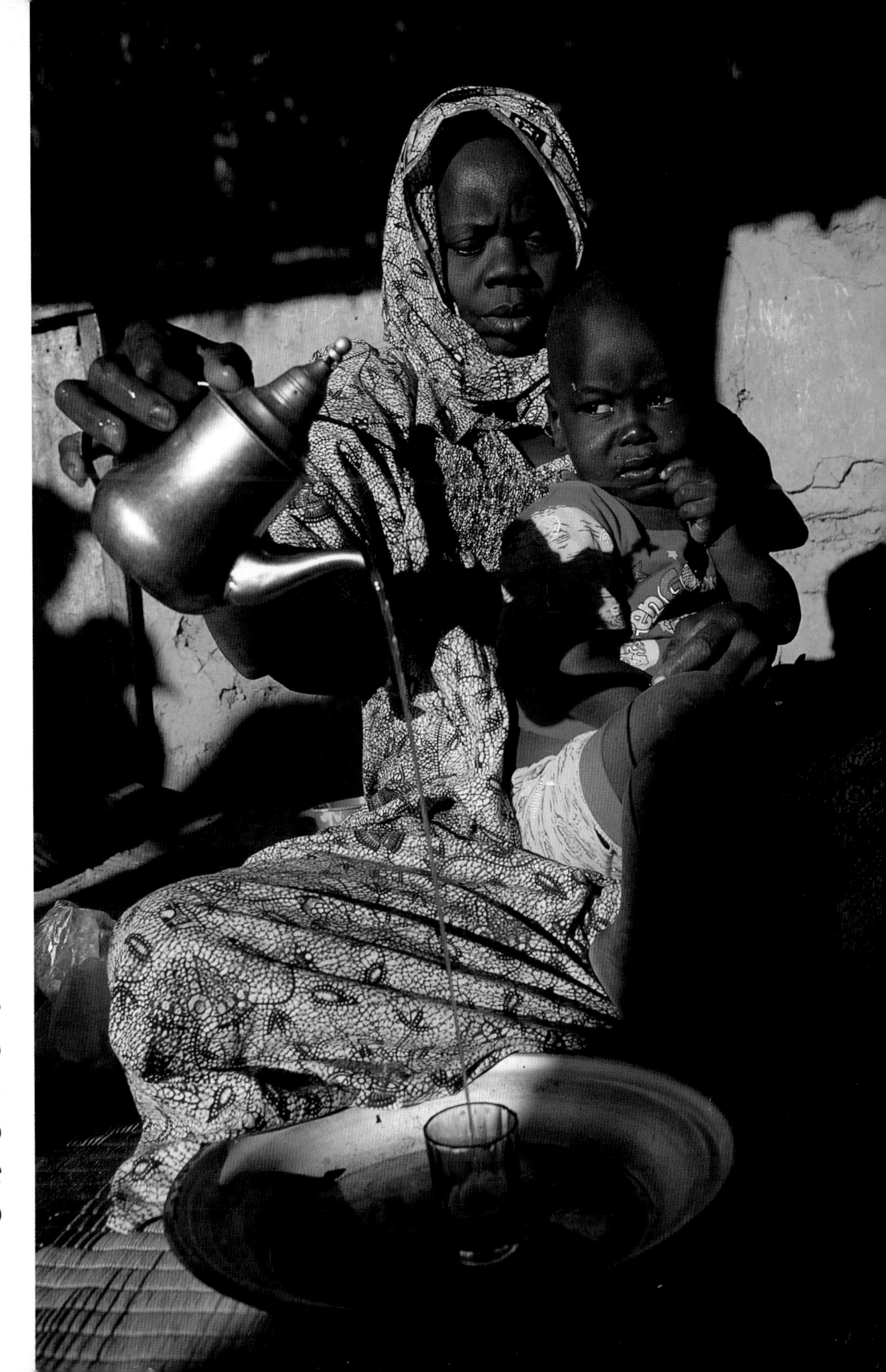

Antes de preparar la cena, Hawa Dia ha quedado en verse con unas amigas del pueblo.

Como hace mucho calor, ponen una estera en la calle y toman el fresco de la tarde. Charlando sobre las cosas que han pasado hoy en el pueblo, se hacen unas trenzas preciosas en el pelo.